ÉCOLE

KORNELIUS et moi nous étions perdus de vue après l'école primaire. Des années et des années et des années étaient passées, mais nous étions restés amis comme autrefois.
La véritable amitié est comme ça : aussi inoxydable que l'acier, aussi précieuse que l'or, aussi rare que le diamant !
C'est pour cela que ma chère tante Toupie répète toujours :

Celui qui a trouvé un ami...
a trouvé un trésor !

Je l'invitai à entrer chez moi : nous avions plein de choses à nous raconter !

– Pourquoi me suis-tu depuis ce matin, Kornelius ?

Il s'étonna :

– Comment as-tu fait pour t'apercevoir que je te suivais ?

Je souris.

– Eh bien, tu es **baraqué** comme une armoire à glace, tu portes un *smoking* du matin au soir, des lunettes de soleil même quand il neige… difficile de ne pas te remarquer ! Mais, à propos, tu travailles dans quoi ?

Il répondit d'un air mystérieux :

– TOP SECRET !

J'étais surpris.

– Top secret ? Comment cela ?

Il chuchota :

– Tu ne le répéteras à personne ?

– ***Bien sûr que non !*** répondis-je.

– Tu es sûr que tu ne le diras à personne ?

– Sûr et certain !

– Mais si jamais tu le racontais à quelqu'un ?

– Je t'assure que je me tairai !

– Et si...

– Bref, si tu veux me le dire, dis-le-moi, sinon **ne me le dis pas** !

– Bon, je vais te le dire : je suis... agent secret.

– Quoi ? Excuse-moi, je n'ai pas compris.

– J'ai parlé tout bas parce que c'est un secret, **GROS NIGAUD** !

Puis il me chuchota à l'oreille :

– Je suis agent secret.

Je crus à une plaisanterie :

– Toi ? Agent secret ? Mais dans quel **FILM** ?

Je l'avais vexé.

– Ce n'est pas du cinéma, je suis vraiment **agent secret** ! Mon nom de code est Zéro Zéro K !

LE LABORATOIRE SECRET DE ZÉRO ZÉRO K

Puis, pour me convaincre, il m'emmena dans sa villa, à l'extérieur de Sourisia.

Tout le monde croyait que **KORNELIUS K.** était un *noblerat* passionné d'art et de voitures de **COURSE**. En réalité, et j'étais maintenant le seul à le savoir, il effectuait des **missions secrètes** pour le compte du gouvernement de l'île des Souris.

La grille de fer forgé de sa villa, portant le blason KK, s'ouvrait sur un parc d'arbres séculaires. En longeant une allée, on découvrait une pelouse dont le gazon était tondu très court et bien entretenu. Et voici la villa de Kornelius…

Elle était vraiment splendide !

KK

8
4
7
6
2
1
3
5

1. Villa
2. Serre des plantes rares
3. Court de tennis
4. Piste pour les hélicoptères
5. Parking pour les voitures anciennes
6. Piscine en forme de lichette de fromage
7. Enclos et box pour les chevaux
8. Plage privée avec yacht personnel
9. Terrain de golf

9

Elle était tout en marbre blanc, et sa façade était ornée de précieuses décorations ; sur une plaque, dans l'entrée, était gravée la devise de la famille : LA PLUS GRANDE VERTU, C'EST L'AMITIÉ.
En pénétrant dans la villa, je fus ébahi. Il n'y avait que des meubles de *prix* et des tableaux de grands maîtres. Je fus ÉMERVEILLÉ par le portrait d'une charmante rongeuse accroché au-dessus de la cheminée.
Ah, quelle rongeuse de classe !
– Elle est mignonne, hein ? dit Kornelius. C'est ma sœur Véronique ! Elle aussi, elle est agent secret, et elle est même bien meilleure que moi ! Son nom de code est Zéro Zéro V.
À cet instant précis, je me retournai et la vis : **c'était elle**, **c'était bien elle**, la charmante rongeuse du portrait !

JE RESTAI SANS VOIX.

Ah, quelle rongeuse de classe !
– Mais alors, c'est vous le portrait… je veux dire la rongeuse du portrait… je veux dire la rongeuse peinte sur le portrait…
Elle souleva le coin de la bouche d'un millimètre, puis sortit. Ce devait être sa façon de sourire… une habitude de famille !
Zéro Zéro V était partie, mais dans la pièce était resté un mystérieux parfum, *délicat* et *raffiné*.

Ah, quelle rongeuse de classe !
KORNELIUS cogna de l'index sur mon front, en faisant « toc toc ».
– Ohé, il y a quelqu'un là-dedans ?
Puis il m'introduisit dans la bibliothèque et nous nous assîmes dans de confortables fauteuils de cuir.
Il effleura l'accoudoir et... avec un léger sifflement, le tapis se déplaça - - - - →, dévoilant une trappe. Les fauteuils s'enfoncèrent dans le sol et nous fûmes projetés dans un

tunnel sombre et pentu...

Je me pinçai pour être sûr d'être bien éveillé : je n'en croyais pas mes yeux. Et pourtant, tout était vrai !

1
2
3
4
5
6
7

LABORATOIRE SECRET DE ZÉRO ZÉRO K

1. Trappe - 2. Tunnel - 3. Laboratoire secret - 4. Ordinateur et écran géant - 5. Mégaglobe interactif - 6. Instruments d'analyse scientifique - 7. Poste de contrôle de la galerie du vent - 8. Garage pour la Zérozéromobile, la Zérozéromoto, le Zérozéroplane et autres véhicules - 9. Ascenseur pour les Zérozérovéhicules - 10. Sortie secrète pour les Zérozérovéhicules - 11. Quai pour le Zérozéroscaphe.

Je suis un agent secret...

Nous nous retrouvâmes assis dans un salon très *élégant*, toujours dans nos **confortables** fauteuils de cuir. Mais nous étions sous terre, dans un endroit mystérieux, très mystérieux !
J'étais tout entortillé, mais mon ami, comme d'habitude, restait impassible.
Kornelius, nom de code Zéro Zéro K, me montra son équipement d'agent secret et tous les gadgets assourissants cachés dans son *smoking*, dans son imperméable, dans ses **LUNETTES**, et même... dans son **nœud papillon** !
Puis il me fixa de ses yeux gris pénétrants et je pressentis qu'il allait se lancer dans un discours sérieux.

nœud papillon pouvant servir de corde
lunettes-jumelles pour vision nocturne
ceinture et bretelles pour harnachement rapide
bracelet-montre avec appareil photo miniature
talon ouvrable avec outils ouvre-portes
téléphone portable avec caméra vidéo et ordinateur incorporés
semelles antibruit avec effet antigravitationnel
alarme antifélin (détecte la présence d'un félin jusqu'à 3 km de distance !)
gilet antichat
canot gonflable de poche
réserve de micropuces très agaçantes !
concentré de camomille pour endormir les méchants
bague avec poudre irritante (qui fait éternuer !)
stylo avec micro et gaz puant incorporés

Zéro Zéro K

Nom : Kornelius Van Der Kankoïe

Nom de code : Zéro Zéro K

Profession : agent secret

Qui est-il : un ancien camarade d'école de Geronimo

Signes particuliers : porte toujours un smoking bourré de gadgets et des lunettes de soleil, même la nuit !

Zéro Zéro V

NOM : Véronique Van Der Kankoïe

NOM DE CODE : Zéro Zéro V

PROFESSION : agent secret

QUI EST-ELLE : la sœur de Kornelius

SIGNES PARTICULIERS : a toujours sur elle un mystérieux parfum, délicat et raffiné, qui fait qu'elle est unique et... encore plus charmante !

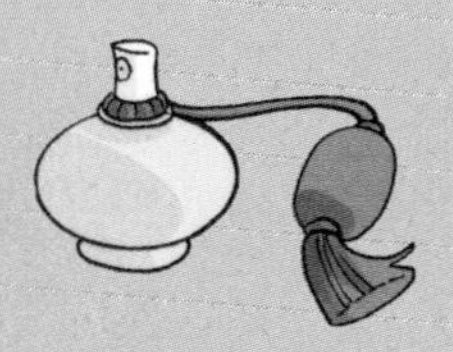

– À présent, je vais t'expliquer pourquoi je suis venu te chercher ! dit Kornelius en ouvrant une mallette **noire** d'où il sortit un paquet de journaux. Tu vois, tous parlent de toi ! Il y a même ta photo en **couleurs** ! N'importe quel lecteur peut savoir où tu vis, où tu travailles, où tu passes tes vacances, quels sont tes amis et tes plats préférés, où tu achètes tes vêtements...

Je souris, satisfait.

– Quand je donne une interview, je réponds toujours à toutes les questions !

KORNELIUS tapa de l'index sur une photo.

– Si un rongeur **MALINTENTIONNÉ** voulait te jouer un mauvais tour, te faire une méchante farce ou t'escroquer, tu es tellement nigaud que rien ne serait plus **facile** ! Bref, tu as vraiment besoin que quelqu'un assure ta protection. Et ce quelqu'un, c'est moi ! conclut-il fièrement.

– Nooon, merci ! refusai-je doucement. Je n'ai vraiment pas besoin d'être protégé !

Il insista :

– Je suis un agent secret, mais je suis d'abord ton **ami** !

Il fit la liste de tous les dangers que je pouvais courir :

– Je pourrais t'être utile dans mille situations : je suis spécialiste en arts martiaux, en **sports extrêmes**, en déguisements, en filatures, en communications, en codes secrets et surtout... en arrestations de gredins !

Je refusai de nouveau, très gentiment :

– Merci, Kornelius, mais je n'ai vraiment pas besoin de ton aide.

– Promets-moi au moins que tu m'appelleras tout de suite en cas de besoin !

Je le remerciai du fond du cœur et le saluai affectueusement. C'était vraiment un ami fidèle !

Tu pourrais recevoir un pot de fleurs sur la tête…
ou bien tu pourrais t'égarer, la nuit, dans un quartier mal famé de la ville…
ou bien tu pourrais être attaqué par
affamé…
ou bien tu pourrais passer sous une moto…
NEW
ou bien tu pourrais être évincé
par un éditeur concurrent
et sans scrupules…

ou bien tu pourrais être renversé par une voiture…
ou bien tu pourrais être enlevé par un rongeur très très très méchant !
ou bien tu pourrais tomber dans une bouche d'égout…
ou bien tu pourrais être harcelé par un auteur insistant…
¡NO!
ou bien tu pourrais être poursuivi par une foule d'admiratrices…

TOUT VA BIEN, ET MÊME TRÈS BIEN !

Le lendemain matin, comme je me sentais pétillant et joyeux, je décidai d'aller au bureau à pied.
Le temps était splendide, mais il soufflait un petit vent taquin. J'aime le vent… Il me rappelle l'époque où j'étais une toute petite petite souris et où je faisais voler des cerfs-volants.

Tout allait bien, et même ET MÊME TRÈS BIEN !

Tout en me promenant, je pensais que Kornelius était vraiment gentil, mais qu'il avait tort de s'inquiéter ainsi.

Lorsque j'arrivai au bureau, à *l'Écho du rongeur*, le vent s'était renforcé et **SOUFFLAIT** pour de bon. Pimentine Pimenta, une rédactrice qui est également une très bonne amie, vint à ma rencontre.

– Geronimo, nous avons *cette* réunion importante… avec le ministre… avec ton grand-père…

J'étais perplexe :

– **QUELLE** réunion ? **QUEL** ministre ? **QUEL** grand-père ? Enfin non, pour le grand-père, je sais qui il est, mais pour tout le reste ???

Pimentine me répondit :

– Mais tu sais bien, aujourd'hui, nous avons cette importante réunion avec le ministre de la Culture ! Ils font des recherches sur les plus vieux bâtiments de Sourisia, comme *l'Écho du rongeur*, qui date du XVIe siècle. Ton grand-père Honoré sera là.

J'avais complètement effacé cette réunion de ma mémoire : je me disais qu'elle serait ennuyeuse, et même *très ennuyeuse* !

J'arrivai à la porte de mon bureau en grommelant, et je l'ouvris sans réfléchir.

HÉLAS, J'AVAIS ÉTÉ TRÈS DISTRAIT !

La veille, lorsque je m'étais penché à la fenêtre pour essayer de comprendre **qui** était ce rongeur aux lunettes **noires** qui me suivait, j'avais laissé la FENÊTRE OUVERTE !

Aussi, lorsque j'ouvris la porte, cela provoqua un fort courant d'air, et le VENT fit voler à travers la fenêtre une grande enveloppe portant un cachet rouge qui était posée sur le bureau !
Je me précipitai pour la rattraper, elle m'échappa de peu… et je me COGNAI le museau sur mon bureau !
Tout en me massant le bout du nez, je me demandai : « Savoir ce qu'il y avait dedans… Bah, après tout, ce n'est qu'une enveloppe… Ce n'est peut-être pas très important… Hum… et si c'était

ENVELOPPE
TRÈS IMPORTANTE
POSÉE PAR PIMENTINE
SUR LE BUREAU DE
GERONIMO
L'Écho du rongeur

la lettre d'un **AMI**, ou un contrat à signer... Ou peut-être un chèque ? Ou bien la lettre d'une **admiratrice** ? En fait, dans une enveloppe, on peut trouver n'importe quoi... »
Je me penchai à la fenêtre et vis l'enveloppe qui

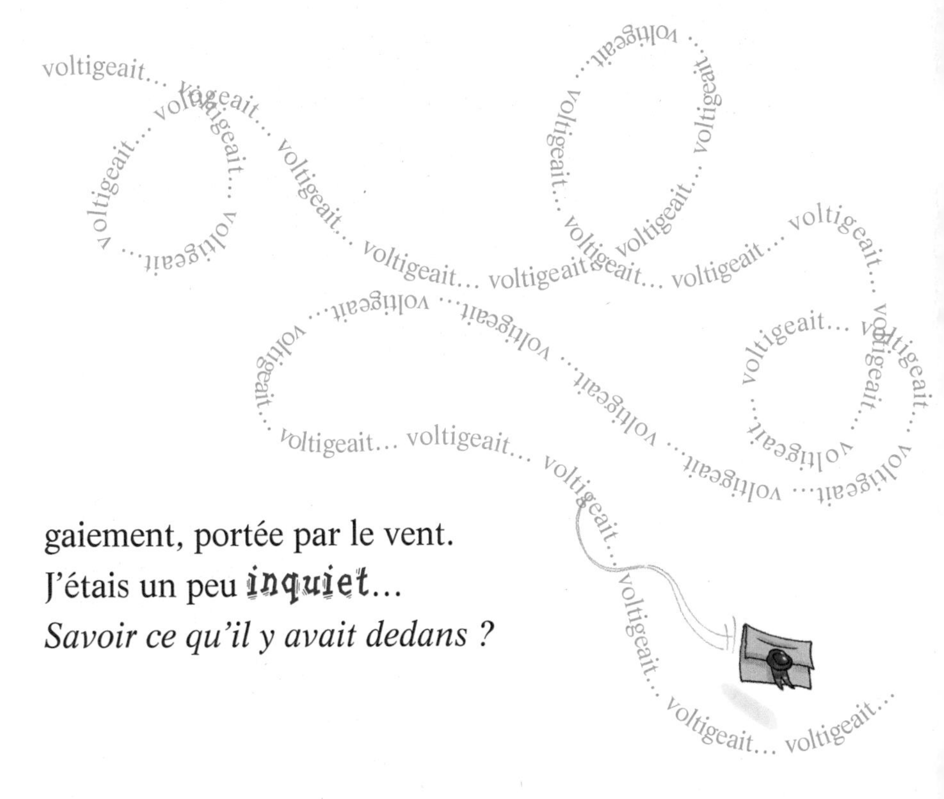

gaiement, portée par le vent.
J'étais un peu **inquiet**...
Savoir ce qu'il y avait dedans ?

J'avais laissé la fenêtre ouverte… et il y avait un très fort courant d'air !
Le vent fit voler une grande enveloppe portant un
cachet rouge… Je me précipitai pour la
rattraper, elle m'échappa de peu…

Je me cognai le museau contre mon bureau !
Savoir ce qu'il y avait dedans ?
?

UN CAS DÉSESPÉRÉ !

C'est alors que la porte s'ouvrit et que grand-père Honoré entra dans le bureau.

– Gamiiiin !!! La réunion a commencé ! On pourrait savoir ce que tu fais, hein ? Tu perds ton temps au lieu de produire, hein ?? Tu fais le malin, hein ???

– Mais non, grand-père, murmurai-je, je, eh bien, c'est-à-dire, enfin j'étais… d'une certaine manière, je mettais de l'ORDRE dans mes documents !

– J'ai pourtant bien l'impression que tu faisais le malin ! Avoue, gamin : qu'est-ce que tu manigances ? Moi, je le vois tout de suite, quand tu manigances quelque chose ! Je le LIS sur ton visage !

– J'ai eu un petit problème avec une, euh, avec une… enveloppe… mais… rien d'important !
– Allons-y, le *ministre de la Culture* nous attend avec tous les membres du Comité pour la restauration des bâtiments anciens. S'il te plaît, gamin, ne me **RIDICULISE** pas ! Tu as compris ?
Nous prîmes place dans la salle de réunion de *l'Écho du rongeur.*
Paperace Lédocier, le ministre de la Culture, s'éclaircit la voix :
– Hem, hem, hem… Chers messieurs, je serai **BREF**…
Cela m'inquiéta beaucoup. D'habitude, lorsque quelqu'un commence par ces mots, c'est qu'il va prononcer un long discours, un *très long* discours, un *très très looooooooooooooooooo-oooooooooooooooooooooong* discours…
Fatalement, je m'endormis…
Je fus réveillé par un CRI.

Grom...
Hein ?
Ronf...
Bla bla bla...

– **Gamiiin !!!** s'écriait mon grand-père.

– Quoi, qu'y a-t-il ? répondis-je.

– Gamin, que fais-tu, tu **dors** ?

– Non, non, je réfléchissais…

– Tu n'as pas entendu le ministre ? Il veut voir le très ancien, très rare et très précieux document contenu dans la grande enveloppe de parchemin portant un cachet rouge que Pimentine a posée sur ton bureau !

Je me dis : « Raperlipopette, voilà ce que contenait cette enveloppe ! Rien à voir avec de la publicité ! »

Je murmurai d'une petite voix :

– Mais... en fait... je crois... que je l'ai perdue...

Grand-père hurla :

– **Gamiiin !!!** Ouvre bien grand tes oreilles, je veux ce document ici, sur cette table, avant demain matin 9 heures !

Tout le monde me **REGARDA**.
Je crus que j'allais m'évanouir...
Comme dans un **FILM** au ralenti, je lus dans leurs yeux : *l'incrédulité... la stupeur... l'ébahissement... la stupéfaction... l'effarement... l'irritation... l'indignation... la colère... la compassion... la pitié !*

Et je dis, très embarrassé :
– Euh, messieurs, la réunion est terminée...
L'enveloppe a disparu, elle s'est envolée...
mais ce n'est pas moi qu'il faut blâmer !
Quelqu'un commenta :
– Pauvre garçon, voilà qu'il parle en vers !
Il a le cerveau en bouillie, c'est vraiment un cas désespéré !

JE NE SUIS PAS CERTAIN DE VOULOIR LE SAVOIR !

Je retournai dans mon bureau, les oreilles basses et la queue entre les pattes.

Quelques minutes plus tard entra **GRAND-PÈRE HONORÉ**.

Il ne claqua pas la porte. BIZARRE !

Il ne cria pas. BIZARRE !

Il me regarda en silence. BIZARRE !

Il avait l'air calme, mais il était comme un VOLCAN prêt à entrer en éruption, comme une Cocotte-Minute sous pression, comme…

Il me dit, d'un ton fâché :

– Gamin ! *Sais-tu* ce qu'il y a dans cette enveloppe ?

– Euh… oui, un document ancien et précieux…

Il me coupa, IRRITÉ :

– Et *sais-tu* pourquoi il est si précieux ?
– Euh... peut-être parce qu'il est très ancien ?
Il poursuivit, FURIEUX :
– Non ! Parce qu'il est la seule preuve en notre possession que ce terrain nous appartient ! *Sais-tu* seulement ce qui pourrait se passer si ce *document* se retrouvait entre de mauvaises mains, celles de Sally Rasmaussen, par exemple ?
Je murmurai :
– N-non, et je ne suis pas certain de vouloir le savoir !
Grand-père hurla, FURIBOND :
– Nous perdrions *l'Écho du rongeur*, voilà ce qui se passerait !

J'ÉTAIS VRAIMENT DÉPRIMÉ...

Dès que grand-père fut sorti de mon bureau, une série d'images défilèrent dans mon esprit, toutes plus TRAGIQUES les unes que les autres... J'imaginai même Sally Rasmaussen brandissant une enveloppe de parchemin avec un cachet rouge et hurlant :

– *L'Écho du rongeur* est à moi, à moi, rien qu'à moi, non mais alors !

J'étais vraiment vraiment déprimé !

Je pensais : « Je n'arriverai jamais à retrouver l'enveloppe avant demain matin 9 HEURES ! Va savoir où elle est passée ?… »

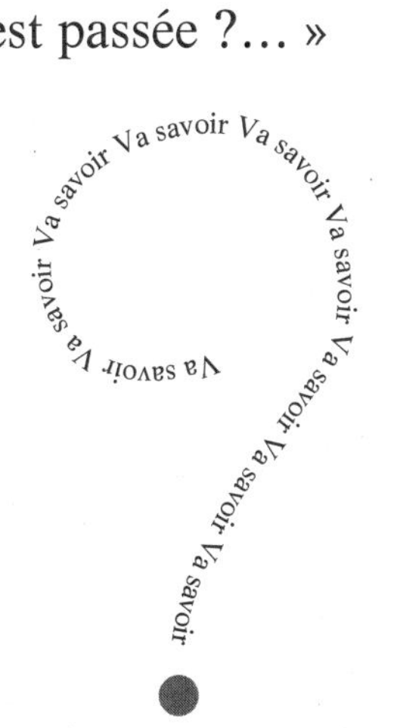

Puis mes yeux se posèrent sur une **PHOTO** prise lors de mon ascension du Kilimandjaro et je me dis : « Si j'ai été capable d'escalader le **KILIMANDJARO**, je devrais pouvoir retrouver une enveloppe ! »
Il était **midi** : il me restait vingt et une heures pour agir !

Je me sentis de nouveau plein d'énergie...
Je pris *un papier et un crayon* et commençai à dresser la liste de tout ce que j'avais à faire.
C'est une chose TRÈS UTILE lorsqu'on a besoin d'ordonner ses idées ! Et, *par mille mimolettes*, j'en avais vraiment besoin !

1) Garder son calme.
2) Demander de l'aide à ses amis.
3) Téléphoner aux services météorologiques pour connaître la force et la direction du vent.
4) Marquer sur le plan de Sourisia l'endroit où l'enveloppe a dû atterrir.
5) Prendre ses pattes à son cou !

Important :
Ne pas oublier de prendre une provision de chocolats fourrés au fromage !

Je commençai par mettre en application le premier point de mon programme : garder son calme.

Puis j'appelai Téa, mais tombai sur son répondeur : « Je ne suis pas chez moi, laissez un messag... » *Clic !*

J'appelai Traquenard, mais lui aussi avait branché son répondeur : « Excusez-moi, les amis, mais je ne peux *vraiment vraiment vraiment* pas répondre au téléphone, je suis en train de préparer un **soufflé au gruyère** ! » *Clic !*

Je n'appelai pas Patty. J'aurais vraiment eu trop honte de lui raconter le pétrin dans lequel je m'étais fourré...

Je téléphonai donc à Chacal et j'entendis aussi son répondeur : « Je ne suis pas là ! Si vous voulez me parler, rejoignez-moi ····► dans la forêt AMAZONIENNE !

(Si vous en êtes capables, hé hé...)

Au fait : inutile d'essayer de me joindre sur mon portable : JE L'AI LAISSÉ CHEZ MOI ! » *Clic !*
J'appelai Farfouin Scouit. C'est encore un appareil qui répondit : « *Par mille bananettes,* je ne suis pas là ! J'enquête !... Mais regardez autour de vous, il se pourrait que je sois dans les parages, hé, hé ! » *Clic !*

Pourquoi, pourquoi, pourquoi, pourquoi ne trouvais-je personne ?

Pendant un instant, je pensai à *Zéro Zéro K.*
Puis je décidai de *laisser tomber*. J'avais trop honte. Je lui avais dit que je n'aurais pas besoin d'aide…
Je soupirai :
– C'est bon, ça veut dire que je dois tout faire tout **SEUL** !
Puis je criai :
– Tout seuuul ? Au secouuurs ! Comment faiiire ?!

Je commençai par mettre en application le premier point de mon programme : garder son calme.
Pourquoi, pourquoi, pourquoi ne trouvais-je personne ?
Puis je criai : – Tout seuuul ? Au secouuurs ! Comment faiiire ?!

ALORS, VOUS ÊTES PRÊT, MONSIEUR STILTON ?

De nouveau, j'étais agité, et même stressé, et même en proie à la plus complète PANIQUE !

Étant donné les résultats... je rayai de ma liste le point numéro un (garder son calme) et le point numéro deux (demander de l'aide à ses amis) et passai directement aux points numéros trois et quatre.

Je pris un PLAN de Sourisia et le déroulai sur mon bureau.

1) ~~Garder son calme.~~
2) ~~Demander de l'aide à ses amis.~~
3) Téléphoner aux services météorologiques pour connaître la force et la direction du vent.
4) Marquer sur le plan de Sourisia l'endroit où l'enveloppe a dû atterrir.
5) Prendre ses pattes à son cou !

Important :
Ne pas oublier de prendre une provision de chocolats fourrés au fromage !

Puis je composai le numéro de téléphone des services MÉTÉOROLOGIQUES.

– Euh, bonjour, mademoiselle, mon nom est Stilton, *Geronimo Stilton* ! J'aurais besoin d'informations sur la direction et la force des vents aujourd'hui à Sourisia, entre 9 heures et midi...

Je suis l'une de vos plus grandes admiratrices ! *Ditesmoiditesmoiditesmoi*, comment se fait-il que vous vous intéressiez autant aux **VENTS**, hein ?

Je sentis mes oreilles **rougir** d'embarras.

– Euh, en fait... c'est pour une raison *personnelle*, strictement privée, je ne peux rien vous dire.

Elle se mit à parler tout bas :

– Je ne dirai rien à personne personne personne !

Et elle poursuivit :
– Mais vous savez, monsieur Stilton, ce matin, le vent a été très capricieux. Il a changé de direction tous les quarts d'heure ! On n'avait jamais vu un tel vent depuis plus d'un siècle !

Je ne savais pas si je devais m'évanouir ou me mettre à pleurer : pourquoi aujourd'hui, pourquoi moi ? *Pauvre de moi !*

La demoiselle continua :
– *Monsieur Stilton*, vous êtes toujours là ? Alors, vous êtes prêt, *monsieur Stilton* ?

Elle se mit à DÉBITER en rafale toute une suite de chiffres et d'informations.

Pauvre de moi !

Au bout d'une heure, j'avais l'oreille en **FEU**, la patte droite endolorie par les crampes, l'esprit complètement **étourdi**, et la demoiselle avait même réussi à m'arracher un rendez-vous à **DÎNER** pour la semaine suivante !

Pauvre de moi !

Mais j'avais obtenu ce que je voulais…

Peut-être !

Voici le parcours que j'avais dessiné sur la carte !

TOUCHE PAS À MA POUBELLE !

Je regardai la pendule. Il était 14 h 30 : il restait dix-huit heures et trente minutes avant l'heure H !

Je n'avais pas de temps à perdre !
Je m'ÉLANÇAI dans la rue, passant immédiatement au cinquième point de mon programme : prendre ses pattes à son cou !
Je me dirigeai vers le port de Sourisia, c'est-à-dire vers le point que j'avais marqué d'un X sur le PLAN et où j'espérais retrouver l'enveloppe.

Je marchai tant que j'avais les pattes qui fumaient !
Je cherchai l'enveloppe dans les ruelles du port, sur les quais, dans les bateaux de pêche, dans les filets étendus à sécher, dans la gueule des thons chez les poissonniers...
J'étais épuisé, mais pas l'ombre d'une enveloppe !
Je regardai sous les voitures garées, dans les poubelles pleines d'arêtes de poissons puants.

J'étais épuisé, mais pas l'ombre d'une enveloppe !
J'étais là, le museau dans une **POUBELLE**... lorsqu'une dame (la tante de Patty Spring) me reconnut :
– Mais ne seriez-vous pas... *Geronimo Stilton* ?
Quelle honte...
Un peu plus tard, un rongeur, ami de mon grand-père, me regarda, **DÉGOÛTÉ**.
– Mais ne seriez-vous pas... *Geronimo Stilton* ?
Quelle honte...
J'enfonçai mon museau un peu plus profond dans la poubelle, essayant de me cacher, mais une jeune rongeuse (Sourille, la maîtresse de mon neveu Benjamin) s'exclama :
– Mais ne seriez-vous pas... *Geronimo Stilton* ?
Quelle honte...

Je regardai dans les poubelles pleines d'arêtes de poissons puants.
– Mais ne seriez-vous pas... Geronimo Stilton ?
– Mais ne seriez-vous pas... Geronimo Stilton ?
– Mais ne seriez-vous pas... Geronimo Stilton ?

AU SOMMET D'UNE MONTAGNE PUANTE

J'avais RUINÉ ma réputation, mais toujours pas l'ombre d'une enveloppe !
Je m'assis au bord du trottoir, désespéré, et pensai : « saperlipopette, j'ai faim ! »
À ce moment, il me vint à l'esprit que j'avais

sauté un point important de mon programme : ne pas oublier de prendre une provision de **chocolats fourrés au fromage** !

J'étais donc assis là, en train de masser mon ventre VIDE, lorsque je sentis qu'une idée géniale prenait forme dans mon petit cerveau.

Mais oui, bien sûr ! Comment avais-je pu ne pas y penser plus tôt ? Sourisia est une ville très propre : les poubelles sont ramassées trois fois par jour. Si l'enveloppe était tombée par terre, sur un trottoir, les balayeurs l'avaient sûrement jetée à la poubelle. Et si les poubelles avaient été ramassées, l'enveloppe devait se trouver... à la décharge, dans l'endroit où sont déversées toutes les ordures de la ville.

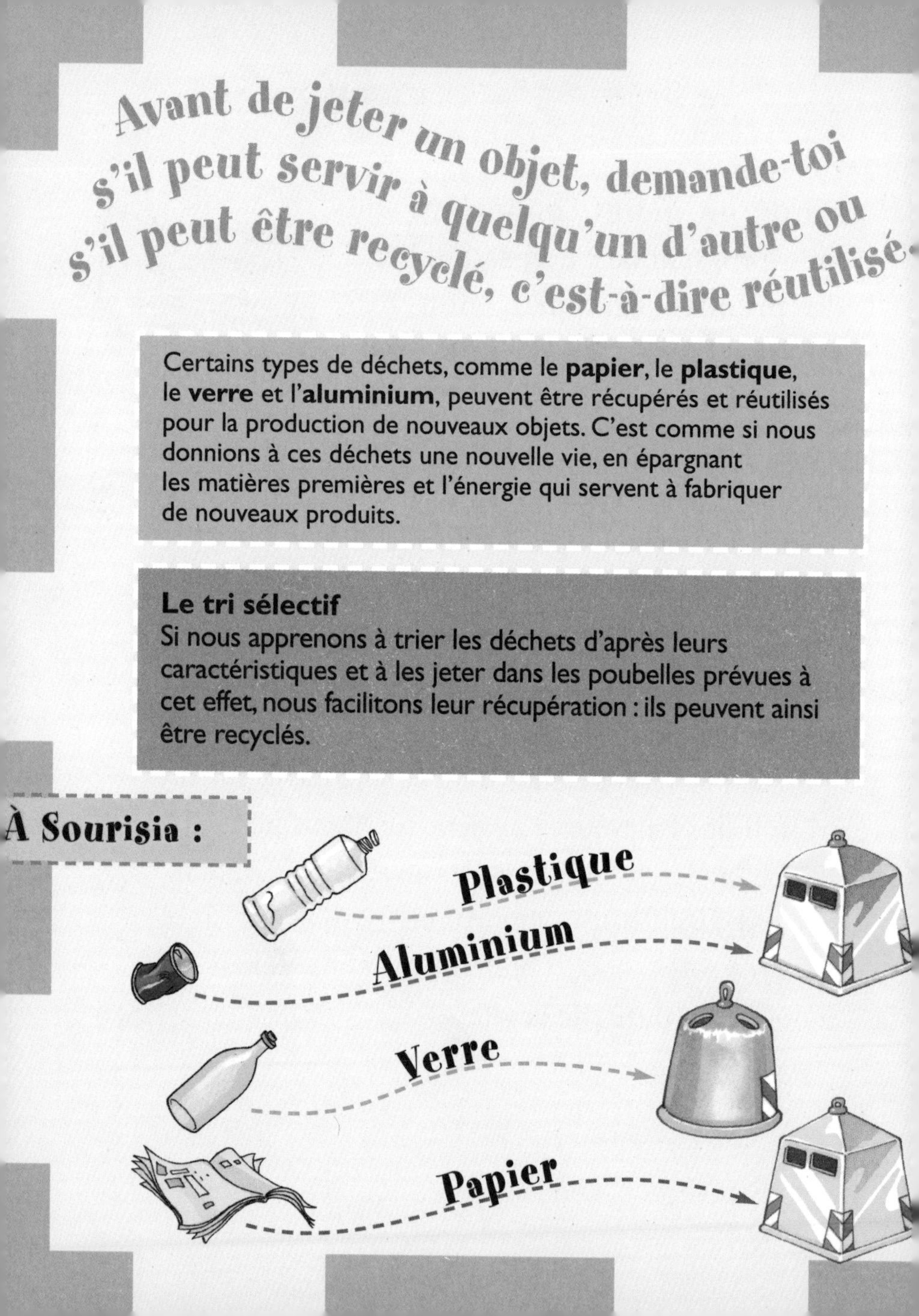

Avant de jeter un objet, demande-toi s'il peut servir à quelqu'un d'autre ou s'il peut être recyclé, c'est-à-dire réutilisé.

Certains types de déchets, comme le **papier**, le **plastique**, le **verre** et l'**aluminium**, peuvent être récupérés et réutilisés pour la production de nouveaux objets. C'est comme si nous donnions à ces déchets une nouvelle vie, en épargnant les matières premières et l'énergie qui servent à fabriquer de nouveaux produits.

Le tri sélectif

Si nous apprenons à trier les déchets d'après leurs caractéristiques et à les jeter dans les poubelles prévues à cet effet, nous facilitons leur récupération : ils peuvent ainsi être recyclés.

À Sourisia :

Que deviennent les déchets ?

Usines de recyclage

Ce sont des usines qui récupèrent les différents types de déchets (papier, verre, etc.), qui les retravaillent et les réutilisent.

Décharges

C'est là que se retrouvent toutes les ordures qui ne sont pas réutilisables, notamment tous les déchets alimentaires et végétaux, c'est-à-dire organiques.

Incinérateurs

Ce sont des usines qui brûlent les déchets pour les éliminer. Durant leur incinération, les ordures dégagent une forte chaleur qui peut être transformée en énergie (dans ce cas, on parle de valorisation énergétique).

ET TOI, QUE PEUX-TU FAIRE ?

- aplatis les bouteilles de plastique avant de les jeter dans la bonne poubelle ;
- mets de côté tous les papiers, les journaux, les revues, les emballages de cartons achetés ;
- fais appel à ton imagination pour réutiliser de matière inventive les choses qui ne servent plus. Par exemple, tu peux transformer un pot de glace vide en un sympathique petit bateau ! À toi de trouver comment faire !
- avant d'acheter un nouvel objet, demande-toi si tu en as vraiment besoin.

C'est alors que je vis passer une benne à ORDURES.

Je bondis sur mes pattes, tel un félin, et me mis à *courir courir* derrière le camion !

Je COURUS COURUS COURUS ainsi jusqu'à la décharge. Que de déchets !

Et comme ça puait !

J'avais le souffle court, j'étais épuisé, et, pour me reposer, je m'assis sur un très haut tas d'ordures.

VIEUX PAPIERS ET… VIEUX CARTONS !

Malheureusement, un camion vint déverser des ordures toutes fraîches et le tas trembla comme s'il y avait eu un séisme. Je roulai au bas de la montagne, nageant au milieu des ordures pour me maintenir à la surface…

Je roulai roulai roulai roulai roulai roulai roulai roulai roulai roulai roulai roulai roulai roulai roulai roulai

jusqu'au fond, en manquant me briser l'os du cou !

TROP DANGEREUXXXXXXXXXX !

Je nageai au milieu des ordures pour me maintenir à la surface...

Tandis que je roulais ainsi, je sentis que quelqu'un me touchait *légèrement* l'épaule.
Une voix masculine me demanda :
– *Besoin d'aide ?*
Je murmurai :
– O-oui, m-merci !
Il me sembla également sentir un **mystérieux** parfum, *délicat* et *raffiné*.
Cela me rappelait quelque chose, mais quoi ?
Puis je m'**ÉVANOUIS**.

Quand je revins à moi, j'étais encore à la décharge.
Je regardai autour de moi, mais je ne vis **personne**.

Comme c'était **bizarre** !
Qui m'avait sauvé ? Et pourquoi cette personne avait-elle disparu ???
MYSTÈRE…

Qui m'a sauvé, et pourquoi ?

Le vent taquin recommença à souffler et des milliers de papiers, de tous formats, se mirent à virevolter de-ci, de-là.

C'est à ce moment, à ce moment précis... que je la vis !

C'était elle : l'enveloppe de parchemin avec le cachet rouge !

Elle s'était envolée… et allait m'échapper une nouvelle fois !

Comme si elle le faisait exprès !

L'enveloppe exécuta une gracieuse pirouette et se faufila dans une bouche d'égout.

Tombe, tombe, tombe… dans une rivière puante !

Je n'avais pas le choix !
Je ne devais absolument pas perdre de vue l'enveloppe avec le cachet rouge !
Je soulevai donc la plaque d'égout et me laissai glisser dans le trou… mais je dérapai et tombaiiiiiiiiiiiiiiiiiiiiiiii !

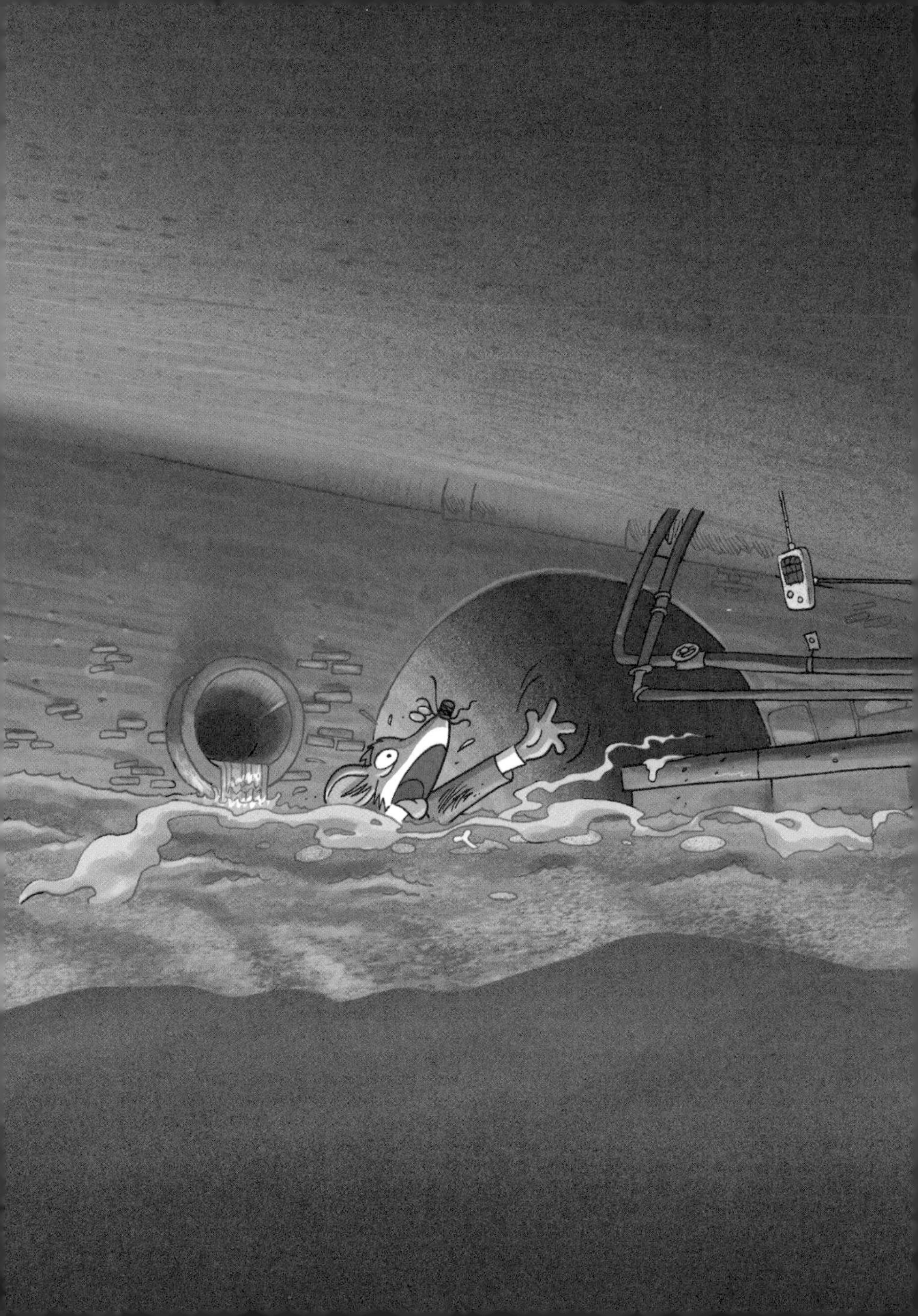

Je tombai tombai tombai de plus en plus vite, dans une atmosphère suffocante. Comme tout était sombre ! Je croyais devoir toucher bientôt le fond de ce trou noir, mais…

je tombai tombai tombai tombai

pendant un moment qui me parut interminable ! Je croyais que j'allais m'écraser comme une **tomate** pourrie...
Mais, heureusement (peut-être vaudrait-il mieux dire « hélas ! »), je finis par plonger dans un liquide puant et **verdâtre** !
C'est alors que je compris où je me trouvais :

j'avais atterri dans les égouts de Sourisia !

Aaargh ! *Pauvre de moi !*
Puis je pensai : « Dans quel état vais-je retrouver l'enveloppe avec le cachet rouge ? »

Une chose était sûre : si je la retrouvais dans l'état où j'étais, j'allais avoir des ennuis le lendemain, de sérieux ennuis !
Je n'osais pas penser à ce que me dirait ou, pis, à ce que me *ferait* grand-père Honoré !
C'est alors que je vis deux yeux jaunes briller dans l'obscurité. Brrrrr… Quelle frousse féline !
Je crus même entendre quelqu'un ricaner :
– Hihihihi ! Hihihihi! Hihihihi! Hihihihi! Hihihihi!

Q-qui pouvait bien habiter là-dedans ?
Oui : qui, qui, qui ?
J'avais les moustaches qui se tortillaient de peur et les genoux aussi flasques qu'un camembert trop avancé !
Ce ne pouvait être qu'une HORRIBLE créature des profondeurs ! Je pris pourtant la décision de suivre ces deux petites lueurs qui se déplaçaient RAPIDEMENT dans l'obscurité, parce que… c'étaient les seules lumières et que moi… eh bien, oui, je l'avoue, j'ai PEUR du noir ! Je les suivis pendant des heures, j'étais épuisé !
À un moment, j'entendis encore ce rire :
– Hihihihi ! Hihihihi ! Hihihihi ! Hihihihi ! Hihihihi !
Alors, je me dis : « Pourquoi, pourquoi, pourquoi n'ai-je pas accepté l'aide que me proposait KORNELIUS ? »
Puis je hurlai :

– Je veux que quelqu'un me protège ! Que quelqu'un m'aide !…
Et je me mis à sangloter...
Cependant, les deux lueurs se rapprochèrent, se rapprochèrent, se rapprochèrent…
QUELLE FROUSSE !
C'étaient deux perfides yeux jaunes qui me fixaient !

Ils appartenaient à un énorme, à un menaçant, à un affreux **CROCODILE** !
C'était donc vrai ! Des rumeurs circulaient à Sourisia selon lesquelles, dans les égouts, vivaient des **CROCODILES** !!!
Et entre les ***HORRIBLES*** crocs de l'énorme crocodile, c'était elle, c'était bien elle, l'enveloppe de parchemin avec le cachet rouge !

Je sentis alors que quelqu'un me touchait légèrement l'épaule.

Une voix masculine me demanda :

– *Besoin d'aide ?*

Je murmurai :

– O-oui, m-merci !

Il me sembla également sentir un *mystérieux* parfum... Cela me rappelait quelque chose, mais quoi ?

Puis je m'**ÉVANOUIS**.

Quand je revins à moi, j'étais sorti des égouts et le jour se levait. Je regardai autour de moi, mais je ne vis **personne**.

Comme c'était **bizarre** !

Qui m'avait sauvé ?

Et pourquoi cette personne avait-elle disparu ???

MYSTÈRE...

Monte, monte, monte... dans le bureau de Sally Rasmaussen

Mille points d'interrogation tournoyaient dans mon cerveau.

Qu'est-ce qui m'était arrivé ?

Comment avais-je fait pour sortir des égouts ?

Qui était mon mystérieux sauveur ?

Mais surtout : qu'était devenue l'enveloppe avec le cachet rouge que j'avais vue dans la gueule du **CROCODILE** ???

Au même moment, je levai les yeux et la vis. Incroyable, c'était elle, c'était bien elle... l'enveloppe !!!

Elle montait en voletant, de plus en plus haut !

Une seconde plus tard, elle se faufila à travers une fenêtre ouverte.

BUS
97

La fenêtre du bureau de Sally Rasmaussen !
Oooooh non, pas là, SURTOUT PAS LÀ !
Sally dirige LA GAZETTE DU RAT, le journal concurrent de *l'Écho du rongeur* !
Comment allais-je pouvoir entrer là, SURTOUT LÀ, dans l'état où j'étais, plus répugnant qu'un rat d'égout ?
J'imaginais déjà les titres sur quatre colonnes à la une : GERONIMO STILTON, UN RONGEUR À LA DÉRIVE !
Pourtant, il fallait que j'essaye… Je n'avais pas le choix ! Je regardai l'heure : il était 8 h 30 du matin.

J'avais passé toute la nuit dans les égouts ! Raperlipopette !

Il ne restait que trente minutes avant l'heure H. Après quoi, mon grand-père me zéroriserait, me panzériserait, me déshériterait et me couvrirait de honte en public !
Je n'avais donc pas le choix. Il fallait que j'entre là, OUI, LÀ !
Je me faufilai dans les couloirs de LA GAZETTE DU RAT sans que personne ne me remarque, et je parvins dans une immense salle blanche comme neige : le bureau de Sally Rasmaussen.

Elle était assise derrière une table triangulaire en cristal.
J'aperçus en frissonnant l'enveloppe au cachet rouge. C'était bien elle ! Et elle était là, là, JUSTE LÀ !
Juste sur le bureau de cristal !
– *Geronimo Stilton ! Ça alors*, même sous cette couche d'ordures, je t'ai reconnu !! **Avoue !** Pourquoi un rongeur méticuleux comme toi se balade-t-il dans cet état d'aussi bon matin ? Hum, il y a quelque chose de louche là-dessous, *non mais alors...* Et mon instinct me dit que tout cela a un rapport avec cette enveloppe que le VENT vient de déposer dans *mon* bureau... sur *ma* table... et qui est donc à *moi* désormais !!
Elle la prit entre deux doigts et la SECOUA sous mon nez. Alors, je tentai le tout pour le tout :

CETTE ENVELOPPE EST À MOI, NON MAIS ALORS !
À MOI, À MOI, À MOI !
Euh, Sally... tu as une araignée qui te grimpe dans le dos !
OÙ ÇA OÙ ÇAAA OÙ ÇAAAAAAAAAAAAAAAAAAAAA ???

– Euh, Sally… tu as une ARAIGNÉE qui te grimpe dans le dos.
Elle lâcha l'enveloppe et poussa un hurlement :
– Où ça où ça où ça ?
Sally se mit à se donner des gifles de tous les côtés en hurlant de plus belle :
– Où ça où ça où ça ?
Je profitai de la confusion pour sortir en courant du bureau, l'enveloppe à la main.
Mais Sally me rattrapa par la queue.
Je m'affalai par terre et l'enveloppe s'envola de nouveau à travers la fenêtre. Hélas, j'allais la perdre à jamais ! Sally appela au téléphone son garde du corps, Muscularд Fouetterat :
– Muscularд ? Il y a un casse-pieds ici, Geronimo Stilton, ah, tu le connais ? Tant mieux, occupe-toi de lui, il faut que tu lui donnes une bonne leçon !
Une seconde plus tard, un rat grand, gros et musclé entra et m'attrapa par la queue : c'était le garde du corps de Sally !!!

– Où vas-tu comme ça, ***gros malin*** ?

Il me traîna par la queue et m'enferma dans le placard à balais.

– Je vais te laisser là un petit moment, le temps que tu perdes l'envie de montrer ton museau sans y avoir été invité !

Enfermé dans le noir, terrorisé, je me mis à sangloter. Soudain, j'entendis le déclic d'une serrure et QUELQU'UN me toucha l'épaule. Une voix masculine me demanda :

– *Besoin d'aide ?*

Il me sembla également sentir un *mystérieux* parfum... Cela me rappelait quelque chose, mais quoi ?

Je murmurai :

– O-oui, m-merci !

Puis je m'évanouis.

BESOIN DE QUELQUE CHOSE… AMI ?

Quand je revins à moi, je me trouvais dehors, sur le trottoir, devant LA GAZETTE DU RAT. Il était 8 h 45 minutes. Je regardai autour de moi, mais je ne vis personne.

Comme c'était bizarre !

Qui m'avait sauvé ?

Et pourquoi cette personne avait-elle disparu ???

MYSTÈRE…

Je me mis à sangloter : j'avais perdu l'enveloppe au cachet rouge et ne la retrouverais jamais !

Qu'allais-je dire à mon grand-père ?

Qui m'a sauvé, et pourquoi ?

Mais surtout, qu'allait-il me dire, lui ? Et qu'allais-je dire à mes chers collaborateurs, quand ils apprendraient que, **par ma faute**, nous avions perdu *l'Écho du rongeur* ??? Hélas hélas hélas !!!

J'avais les pattes qui FUMAIENT de fatigue, je

puais autant qu'une poubelle du port et, en plus, mes vêtements étaient IMBIBÉS de la fange des égouts.

C'est à ce moment, à ce moment précis, que j'entendis une voix.

C'est à ce moment, à ce moment précis, que je sentis encore ce *mystérieux* parfum, délicat et *raffiné.*

Alors, quelqu'un me toucha l'épaule et une voix masculine me demanda :

– *Besoin d'aide ?*

– O-oui, m-merci ! murmurai-je.

Puis je sursautai.

C'était la voix de **KORNELIUS** !

Je me retournai et me retrouvai face à lui, c'était bien lui, Zéro Zéro K, accompagné de... la charmante Zéro Zéro V !

– Comment pouvons-nous t'aider ?

Je soupirai, désespéré :

– J'ai perdu une enveloppe, une enveloppe très importante !

– Une enveloppe ? demandèrent-ils, **IMPERTURBABLES**.

– Oui, je l'ai perdue. Je l'ai perdue à jamais…

Ils sourirent en soulevant le coin de la bouche d'un millimètre.

Je sanglotai :

– Même vous, vous seriez incapables de la retrouver ! Je suis fichu !

Ils soulevèrent le coin de la bouche de deux millimètres.

– Serait-ce… une enveloppe de parchemin ?

– Oui ! répondis-je, surpris.

– Une enveloppe de parchemin avec un cachet rouge ?

– Oui, oui ! m'écriai-je, de plus en plus surpris.

– Une enveloppe de parchemin avec un cachet rouge et l'inscription *l'Écho du rongeur* avec des fioritures ?

– Oui, oui, oui ! hurlai-je, ahuri.

– La voici ! dirent-ils, en soulevant le coin de la bouche de trois millimètres. Les missions impossibles, c'est notre travail.

Je sanglotai de plus belle, heureux :

– Merci !

– C'est trois fois rien. Très facile. Rien de spécial, dirent-ils.

Puis Kornelius abaissa le coin de la bouche d'un demi-millimètre et me murmura à l'oreille :

– Tu as vu que tu avais besoin de mon aide ? En réalité, ma sœur aussi a voulu me donner un coup de main…

tu lui plais !

Je comprenais enfin : voilà pourquoi j'avais senti ce *mystérieux* parfum !

J'étais confus :

– M-merci, merci à vous, mademoiselle VAN DER

KANKOÏE... enfin je veux dire, mademoiselle K, mademoiselle V, euh, pardon... puis-je vous appeler *Véronique* ?

MOINS CINQ, MOINS QUATRE, MOINS TROIS…

Je regardai l'heure : il était 8 H 55 du matin !
Avec tous ces **événements**, j'avais oublié le plus important !
L'enveloppe ! Il fallait que je la remette à grand-père Honoré avant 9 heures…
Heureusement, j'étais à côté de *l'Écho du rongeur.*
RAPERLIPOPETTE ! Il restait cinq minutes avant l'heure H.

Après quoi, mon grand-père me **zéroriserait**,

me panzériserait, me déshériterait et me couvrirait de honte en public !
Je courus à PATTES redoublées, traversai la rédaction comme une TORNADE, ouvris la porte de la salle de réunion et m'écroulai aux pieds de mon grand-père !
– Gamin, j'étais sûr que tu y arriverais ! Sinon, je t'aurais pulvérisé, haché menu, panzérisé... De toute façon, ce n'était qu'une copie ! La *véritable* enveloppe contenant le *véritable* document est ici, en sûreté, cousue dans la doublure de mon gilet ! Je voulais juste te mettre à l'épreuve... Mais rassure-toi, tu as réussi l'examen, BRAVO !
C'est alors que je m'évanouis.

Un véritable ami...

On me ramena chez moi sur une civière.
J'étais **épuisé** : je dormis toute la journée et toute la nuit, pendant vingt-quatre heures d'affilée.
Le lendemain, **Zéro Zéro K** vint me voir au journal. Je m'excusai aussitôt :
– J'aurais dû reconnaître que j'avais besoin d'aide. Je me suis **trompé**. Mais il est une chose que je ne comprends pas... Pourquoi as-tu décidé de me suivre, alors que je t'avais demandé de ne pas le faire ?
Il ricana :
– Je suis ton ami et un **bon ami** sait de quoi l'autre a besoin sans qu'on ait besoin de le lui dire... et quand on a besoin de lui, il est toujours là !
Il me donna une **TAPE** sur l'épaule et ajouta :

– *Moi, je* compte sur *toi, toi, tu* comptes sur *moi.*
Et il m'offrit un téléphone portable spécial, que je devais garder accroché au cou.
– Ger, en cas de danger, appuie sur ce bouton. Grâce à un système satellitaire spécial

je saurai toujours où tu te trouves… et où que tu te trouves, JE VOLERAI À TON SECOURS !
Je l'embrassai.
– Merci ! C'est vraiment cela, l'amitié : un véritable ami est toujours là quand on a besoin de lui !

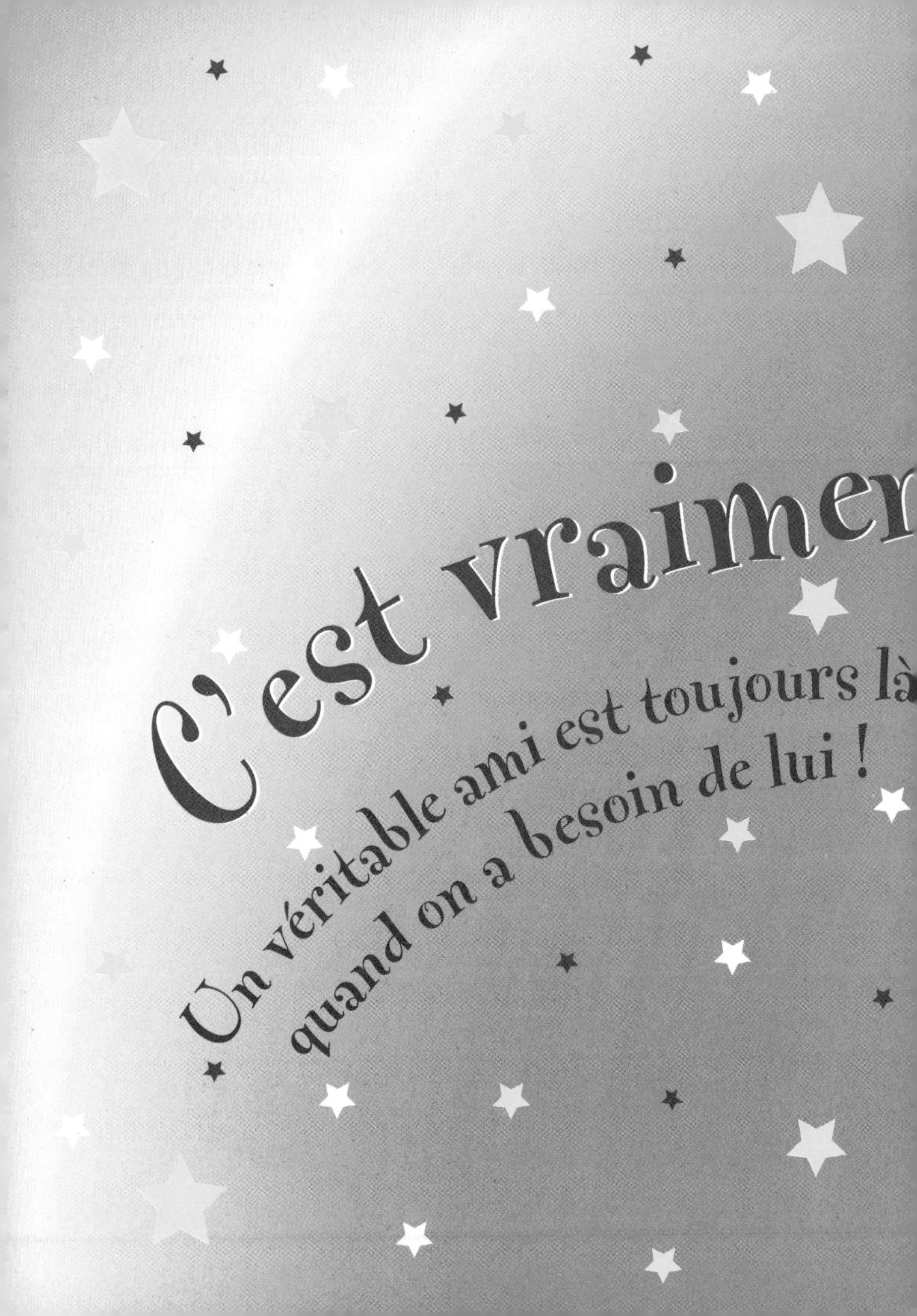
C'est vraime
Un véritable ami est toujours là
quand on a besoin de lui !

cela, l'amitié !

TABLE DES MATIÈRES

DANS LA MÊME COLLECTION

1. Le Sourire de Mona Sourisa
2. Le Galion des chats pirates
3. Un sorbet aux mouches pour monsieur le Comte
4. Le Mystérieux Manuscrit de Nostraratus
5. Un grand cappuccino pour Geronimo
6. Le Fantôme du métro
7. Mon nom est Stilton, Geronimo Stilton
8. Le Mystère de l'œil d'émeraude
9. Quatre Souris dans la Jungle-Noire
10. Bienvenue à Castel Radin
11. Bas les pattes, tête de reblochon !
12. L'amour, c'est comme le fromage...
13. Gare au yeti !
14. Le Mystère de la pyramide de fromage
15. Par mille mimolettes, j'ai gagné au Ratoloto !
16. Joyeux Noël, Stilton !
17. Le Secret de la famille Ténébrax
18. Un week-end d'enfer pour Geronimo
19. Le Mystère du trésor disparu
20. Drôles de vacances pour Geronimo !
21. Un camping-car jaune fromage
22. Le Château de Moustimiaou
23. Le Bal des Ténébrax
24. Le Marathon du siècle
25. Le Temple du Rubis de feu
26. Le Championnat du monde de blagues
27. Des vacances de rêve à la pension Bellerate
28. Champion de foot !
29. Le Mystérieux Voleur de fromage

30. Comment devenir une super souris en quatre jours et demi
31. Un vrai gentilrat ne pue pas !
32. Quatre Souris au Far West
33. Ouille, ouille, ouille... quelle trouille !
34. Le karaté, c'est pas pour les ratés !
35. L'Île au trésor fantôme
36. Attention les moustaches... Sourigon arrive !
37. Au secours, Patty Spring débarque !
38. La Vallée des squelettes géants
39. Opération sauvetage
40. Retour à Castel Radin
41. Enquête dans les égouts puants
42. Mot de passe : Tiramisu
43. Dur dur d'être une super souris !
44. Le Secret de la momie
45. Qui a volé le diamant géant ?
46. À l'école du fromage
47. Un Noël assourissant !
48. Le Kilimandjaro, c'est pas pour les zéros !
49. Panique au grand hôtel
50. Bizarres, bizarres, ces fromages !
51. Neige en juillet, moustaches gelées !
52. Camping aux chutes du Niagara

- Hors-série
  Le Voyage dans le temps (tome I)
  Le Voyage dans le temps (tome II)
  Le Royaume de la Fantaisie
  Le Royaume du Bonheur
  Le Royaume de la Magie
  Le Royaume des Dragons
  Le Secret du courage
  Énigme aux jeux Olympiques

- **Téa Sisters**
  Le Code du dragon
  Le Mystère de la montagne rouge
  La Cité secrète
  Mystère à Paris
  Le Vaisseau fantôme
  New York New York !
  Le Trésor sous la glace
  Destination étoiles
  La Disparue du clan MacMouse

- **Le Collège de Raxford**
  Téa Sisters contre Vanilla Girls
  Le Journal intime de Colette

L'ÉCHO DU RONGEUR

1. Entrée
2. Imprimerie (où l'on imprime les livres et le journal)
3. Administration
4. Rédaction (où travaillent les rédacteurs, les maquettistes et les illustrateurs)
5. Bureau de Geronimo Stilton
6. Piste d'atterrissage pour hélicoptère

Fleuve Souris
Plage
1
2
3
4
5
6
7
8
9
10
11
12
13
14
15
16
17
18
19
20
21
22
23
24
25
26
27
28
29
30
31
32
33
34
35
37
38
39
40
41
42
43
44
45
46

Sourisia, la ville des Souris

1. Zone industrielle de Sourisia
2. Usine de fromages
3. Aéroport
4. Télévision et radio
5. Marché aux fromages
6. Marché aux poissons
7. Hôtel de ville
8. Château de Snobinailles
9. Sept collines de Sourisia
10. Gare
11. Centre commercial
12. Cinéma
13. Gymnase
14. Salle de concerts
15. Place de la Pierre-qui-Chante
16. Théâtre Tortillon
17. Grand Hôtel
18. Hôpital
19. Jardin botanique
20. Bazar des Puces-qui-boitent
21. Maison de tante Toupie et de Benjamin
22. Musée d'Art moderne
23. Université et bibliothèque
24. La Gazette du rat
25. L'Écho du rongeur
26. Maison de Traquenard
27. Quartier de la mode
28. Restaurant du Fromage d'or
29. Centre pour la Protection de la mer et de l'environnement
30. Capitainerie du port
31. Stade
32. Terrain de golf
33. Piscine
34. Tennis
35. Parc d'attractions
36. Maison de Geronimo Stilton
37. Quartier des antiquaires
38. Librairie
39. Chantiers navals
40. Maison de Téa
41. Port
42. Phare
43. Statue de la Liberté
44. Bureau de Farfouin Scouit
45. Maison de Patty Spring
46. Maison de grand-père Honoré

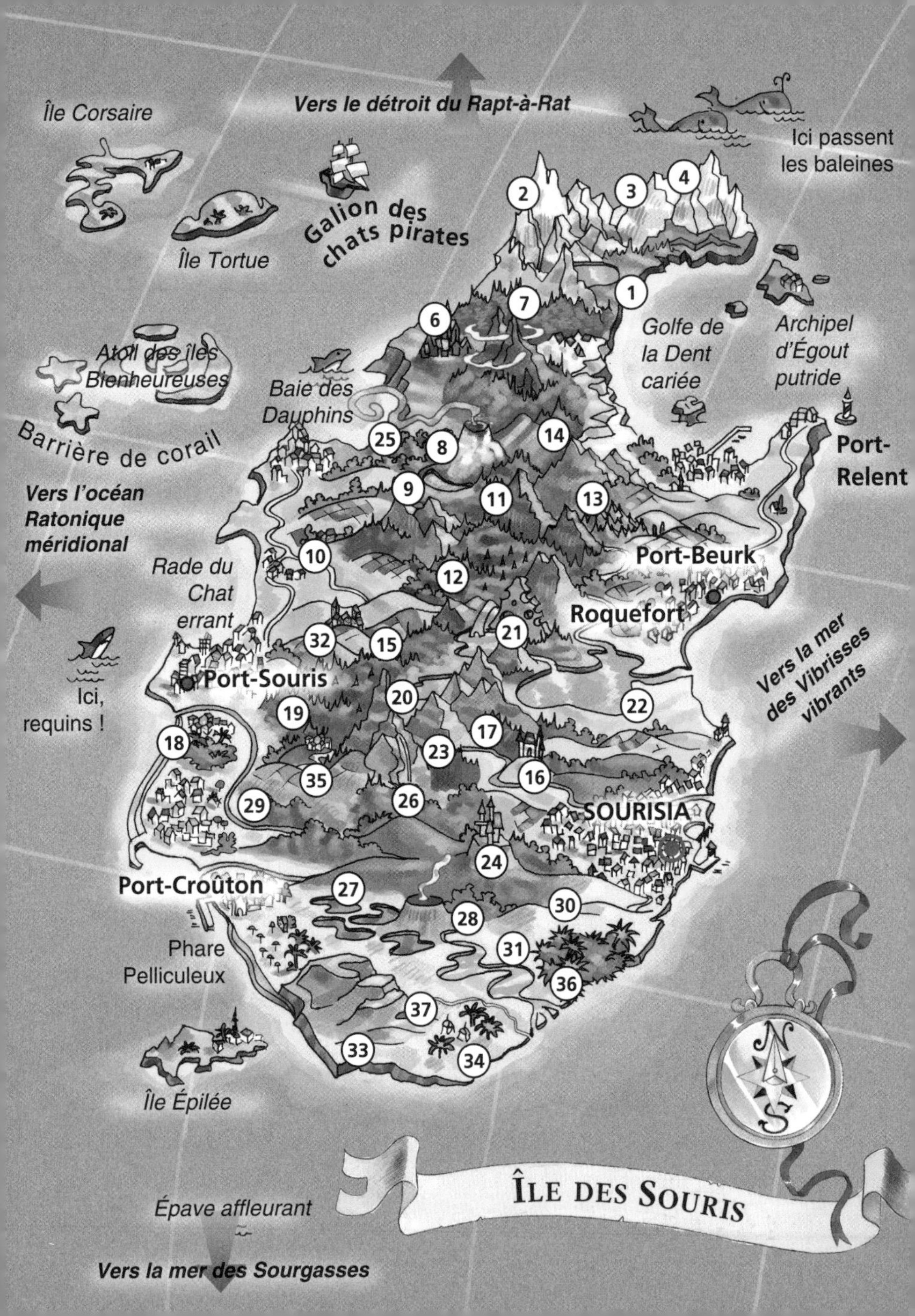
Vers le détroit du Rapt-à-Rat
Île Corsaire
Ici passent
les baleines
Galion des
chats pirates
Île Tortue
Golfe de
la Dent
cariée
Archipel
d'Égout
putride
Atoll des îles
Bienheureuses
Baie des
Dauphins
Barrière de corail
Port-
Relent
Vers l'océan
Ratonique
méridional
Port-Beurk
Rade du
Chat
errant
Roquefort
Vers la mer
des Vibrisses
vibrants
Port-Souris
Ici,
requins !
SOURISIA
Port-Croûton
Phare
Pelliculeux
Île Épilée
ÎLE DES SOURIS
Épave affleurant
Vers la mer des Sourgasses
1
2
3
4
5
6
7
8
9
10
11
12
13
14
15
16
17
18
19
20
21
22
23
24
25
26
27
28
29
30
31
32
33
34
35
36
37

Île des Souris

1. Grand Lac de glace
2. Pic de la Fourrure gelée
3. Pic du Tienvoiladéglaçons
4. Pic du Chteracontpacequilfaifroid
5. Sourikistan
6. Transourisie
7. Pic du Vampire
8. Volcan Souricifer
9. Lac de Soufre
10. Col du Chat Las
11. Pic du Putois
12. Forêt-Obscure
13. Vallée des Vampires vaniteux
14. Pic du Frisson
15. Col de la Ligne d'Ombre

16. Castel Radin
17. Parc national pour la défense de la nature
18. Las Ratayas Marinas
19. Forêt des Fossiles
20. Lac Lac
21. Lac Lac Lac
22. Lac Laclaclac
23. Roc Beaufort
24. Château de Moustimiaou
25. Vallée des Séquoias géants
26. Fontaine de Fondue
27. Marais sulfureux
28. Geyser
29. Vallée des Rats
30. Vallée Radégoûtante
31. Marais des Moustiques
32. Castel Comté
33. Désert du Souhara
34. Oasis du Chameau crachoteur
35. Pointe Cabochon
36. Jungle-Noire
37. Rio Mosquito

Au revoir, chers amis rongeurs, et à bientôt
pour de nouvelles aventures.
Des aventures au poil, parole de Stilton, de…